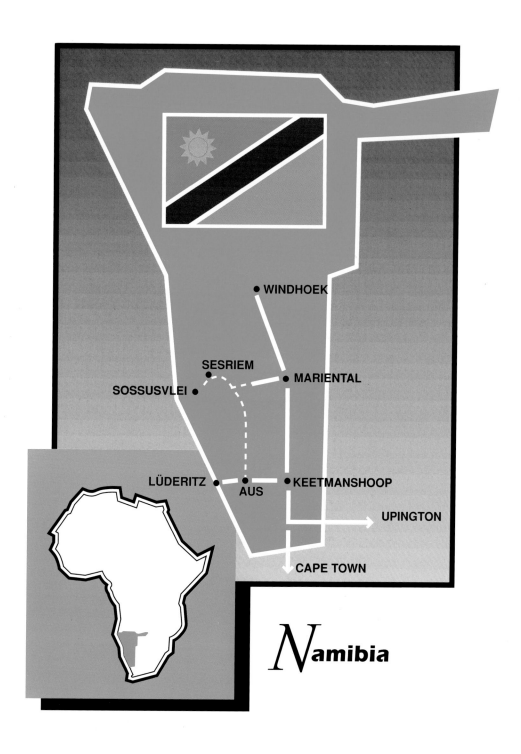

WINDHOEK

SESRIEM

SOSSUSVLEI

MARIENTAL

LÜDERITZ

AUS

KEETMANSHOOP

UPINGTON

CAPE TOWN

*N*amibia

Naked
Wilderness

A PORTFOLIO OF NAMIBIAN NUDESCAPES

Unverhüllte Wildnis

EINE KOLLEKTION NAMIBISCHER AKTLANDSCHAFTEN

Colin Mead

ISBN 0-620-1487-8

Published privately by

COLIN MEAD
P.O. Box 68914
Bryanston
2021
South Africa.

Telephone (011) 706-4425

PRINTED BY: Standard Press
REPRO: Dot Colour
German translation:
    Carl Heinz Konrad

Privat verlegt von

COLIN MEAD
P.O. Box 68914
Bryanston
2021
Südafrika

Telefon (011) 706–4425

DRUCKEREI: Standard Press
REPRO: Dot Colour
Deutsche Übersetzung
    von Carl Heinz Konrad

DEDICATION

To my beautiful models

Cath, Lori, Aliphu and Paoli,

without whom this book would have been a good deal less interesting.

WIDMUNG

Meinen schönen Modellen

Cath, Lori, Aliphu und Paoli

gewidmet. Diese Buch wäre ohne sie viel weniger interessant gewesen.

ACKNOWLEDGEMENTS

Jules Cohen (of Centura Creative Services) for designing and typesetting this book.

Keith Alexander for kindly agreeing to provide a Foreword.

My wife Margaret for being so supportive and understanding.

My thanks to the many friends who encouraged me to publish yet another book and who assisted me in making this project a reality.

ANERKENNUNGEN

Mein Dank gilt —

Jules Cohen (von Centura Creative Services) für den Entwurf und die Schriftsetzung dieses Buches;

Keith Alexander für seine freundliche Zustimmung ein Vorwort zu schreiben;

Margaret, meine Frau, für ihre Unterstützung und ihr Verständnis;

den vielen Freunden die mich dazu ermunterten noch ein Buch herauszubringen und mir halfen dieses Projekt zu verwirklichen.

FOREWORD

As with his first book "Shadows of Sand", the setting for Colin Mead's latest portfolio is the Namib Desert. This majestic world of towering dunes, contorted trees and derelict mansions inevitably entrances anyone lucky enough to venture into it and there is ample scope for the more imaginative to immerse themselves in its surreal symbolism. Indeed, as an artist it has provided me with material and imagery for nearly a decade.

With his exquisite use of light, shade and form in "Shadows of Sand" he had a hard act to follow. However, with his introduction of the nude he has brought a totally new dimension to his second book and has taken his work into a realm beyond landscape photography.

The sensual forms of the Sossusvlei dunes are complimented by the soft curves of golden skin of the female figure and the immense size of the dunes is often accentuated by a solitary diminutive presence. The gnarled and bizarre trees of the Dead Vlei writhe and twist with the girl in a weird interplay of sinuous shapes and contrasting textures. Sometimes she seems threatened by the harsh surfaces of the branches and at other times her softness seems to blend and miraculously becomes one with them. What is otherwise a formidable and spectacular landscape has taken on a human relevance.

Somehow man's abandoned structures in the Namib are the most surreal and atmospheric of all its features. The German colonial architecture of the old diamond towns seems absurdly out of context in its desert surroundings, and the presence of the figure in Colin Mead's Kolmanskop series emphasises the pervading strangeness of the place. In some of his interiors the play of striped shadows across the girl has created an almost wraith-like effect, giving new meaning to the term "ghost town". Elsewhere she appears as a wistful and melancholy echo of Kolmanskop's long-gone vital past or as a piece of classical statuary, sometimes standing proud and intact, sometimes fallen and prone in the encroaching sand.

Like all good art these pictures stimulate and challenge the viewer and invite individual interpretation. To some the nakedness of the girl could symbolise a vulnerable and defenseless human presence in a hostile world, to others perhaps a blatant and provocative challenge to a seemingly invincible opponent. Still others may see her as an attempt to embrace and come to terms with what is really a very fragile and delicate world, far more threatened than threatening. "Naked Wilderness", with its sensitive and imaginative photographs and informative captions is a worthy successor to Colin Mead's earlier book. Whether one's interests lie in the beauty of nature, the female figure or in the technicalities of photography as an art form, it will be a valuable addition to any library.

Keith Alexander

VORWORT

Die Namibwüste ist, wie bei seinem vorigen Buch "Shadows of Sand", der Rahmen für Colin Meads jüngste Kollektion. Die majestätische Welt von aufragenden Dünen, verzogenen Bäumen und verfallenen Villen bezaubern unvermeidlich jeden der das Glück hat dorthin gehen zu können, und es gibt viel Spielraum für die Phantasiereichen sich in der surrealistischen Symbolik zu vertiefen. In der Tat ist es so daß es mir als Künstler fast einen Jahrzehnt lang Stoff und Metaphorik geliefert hat.

Nach seiner exquisiten Verwendung von Licht, Schatten und Form in "Shadows of Sand" war es nicht leicht um wieder etwas gleichwertiges zu schaffen. Er hat allerdings mit der Einführung des Aktes eine total neue Dimension bei seinem zweiten Buch eingeführt, und er hat sein Werk eine Stufe weiter als Landschafts fotografie geführt.

Die sinnesfreudigen Formen der Sossusvleidünen werden abgestimmt von den zarten Kurven der goldenen Haut der weiblichen Figur, und die riesige Größe der Dünen wird oft betont durch eine einsame, winzige Anwesenheit. Die knorrigen und bizarren Bäume der Dead Vlei verschmelzen und biegen sich mit der Form des Modelles in einem seltsamen Zusammenspiel von gewundenen Formen und kontrastierenden Texturen. Manchmal scheint das Modell bedroht zu werden von den harten Oberflächen der Äste, und manchmal scheint die Weichheit des Modelles damit zu verschmelzen und auf wunderbarer Weise zu vereinigen. Was sonst eine bedrohliche und atemberaubende Landschaft ist, hat eine menschliche Relevanz bekommen.

Irgendwie sind die verlassenen Strukturen in der Namib, die von Menschen errichtet worden sind, die surrealistischten und stimmungsvollsten von allen Merkmalen der Namib. Die deutsche koloniale Architektur der alten Diamantendörfer scheint unsinnig aus dem Zusammenhang gerissen zu sein in der Wüstenumgebung, und die Gegenwart der Figur in Colin Meads Kolmanskopserie betont die durchdringende Merkwürdigkeit des Ortes. In manchen seiner Aufnahmen der Innenräume hat das Spiel zwischen den gestreiften Schatten über dem Modell einen fast gespenstartigen Effekt und gibt dem Begriff "Gespensterstadt" eine neue Bedeutung. An anderen Stellen erscheint das Modell als ein wehmütiges und melancholisches Echo von Kolmanskops wichtige Vergangenheit die schon weit zurückliegt, oder als eine klassische Statue die manchmal stolz und intakt steht, und manchmal heruntergefallen und dem vordringenden Sand ausgesetzt ist.

Wie bei aller guten Kunst stimulieren und reizen diese Aufnahmen den Betrachter, und sie ermöglichen eine individuelle Interpretation. Für manche könnte die Nacktheit des Modelles die verletzbare und schutzlose Gegenwart des Menschen in einer feindlichen Welt symbolisieren, für andere vielleicht eine offene und provozierende Herausforderung an einen scheinbar unschlagbaren Gegner. Andere könnten das Modell sehen als einen Versuch sich die eigentlich sehr brüchige und delikate Welt, die viel mehr bedroht wird als was sie bedrohlich ist, anzunehmen und zu akzeptieren.

"Unverhüllte Wildnis", mit den empfindsamen und phantasiereichen Aufnahmen und informativen Bildunterschriften, ist ein würdiger Nachfolger für Colin Meads voriges Buch. Ob man sich nun interessiert für die Schönheit der Natur, die weibliche Form, oder die technischen Einzelheiten der Fotografie als Kunstform, das Buch wird eine wertvolle Ergänzung für jede Bibliothek sein.

Keith Alexander

INTRODUCTION

Landscapes are among the most difficult subjects to photograph well.

So are nudes..

Why then have I chosen to make a book of photographs which include both landscapes and nudes—thereby compounding the difficulties of both? The answer, quite simply, is that I find them both fascinating in terms of form, texture, line, light and shade.

My previous book "Shadows of Sand" is devoted entirely to the dunes around Sossusvlei with their many moods, shapes and colours. And, like many photographers, I am fascinated by the pictorial possibilities inherent in the nude figure, with its variations of form and line, both forever changing as the light changes.

It seemed logical (and perhaps inevitable) that I should try to bring both kinds of photography together. To my surprise, I found that nude photography in the Namib was a good deal easier than in a studio; the interplay between subject and background provided constant inspiration, with each shot prompting the next.

At times I used the model as the main subject, close to the camera (often using a wide-angle lens to emphasize the sense of super-nearness). For some of the shots, the nude was so close to the lens that parts of her body have been "amputated" — a technique which I felt was justified in order to render the form more abstract or more organic (in the sense of being an integral part of the desert).

In some of the photographs I have tried to show how the forms and texture of the model are echoed in the dunes; in others it seemed more appropriate to emphasize the contrast between skin and sand and bark.

At yet other times, in response to the desert's grandeur and space, I positioned the model so far away that she became a diminutive speck in the immense landscape. In one or two of the small pictures, you might need a magnifying glass to find her! But be warned: not every shot contains a nude. Some of the photographs were included to show the general region in which the main pictures were made, or to introduce a counterpoint to some aspect of the larger picture on the facing page. (Unless otherwise stated, the captions throughout the book apply to the main photographs on the right-hand pages).

From a compositional point of view, I was able to solve many problems by using the model as a kind of portable tree, placing her wherever there seemed to be a need for a point of interest (a considerable improvement over real trees, which have an irritating habit of rooting themselves in the wrong spot — with no consideration at all for the needs of a photographer).

The cameras used for all the photographs in this book were Minoltas. Most of the time I shot with two Minolta 9000 autofocus bodies, with lenses ranging from 20 mm wide-angle to 300 mm telephoto. Occasionally, my Pentax 135~600 mm zoom ("Big Bertha") — with a Minolta mount — was fitted to a Minolta XD-7 body. The only filter I employed was a polariser, to intensify the tone of the sky. For most of the shots, the camera was attached to a fairly heavy tripod (see picture inside the front flap of the dust jacket). Film? 35 mm Fujichrome 100.

My love affair with the Namib desert covers many years and many thousands of kilometres — the distance from my home in Sandton to the dunes of Sossusvlei is about 1800 km. To justify that kind of travelling, each trip was planned to last for at least a week (ten days whenever possible).

I would like to pay tribute to the models who accompanied me; not only were they beautiful and very professional, but they were excellent company, hard-working, and with a real understanding of what was being attempted in each photograph.

We had a great time compiling this book. I hope you will get as much enjoyment from it as we did.

COLIN MEAD
March 1990

EINLEITUNG

Landschaften gehören zu den Themen die am schwierigsten gut zu fotografieren sind.

Dasselbe gilt für Akte.

Warum wählte ich dann ein Buch mit Aufnahmen zu produzieren in dem sowohl Landschaften, als auch Akte eingeschlossen sind um dadurch die Schwierigkeiten zu vergrößern? Die Antwort ist einfach daß ich sie beide faszinierend finde was Form, Textur, Linie, Licht und Ton betrifft.

Mein Buch "Shadows of Sand" ist ganz den Dünen in der Umgebung von Sossusvlei mit ihren vielen Stimmungen, Formen und Farben gewidmet. Wie bei vielen Fotografen faszinieren mich die bildlichen Möglichkeiten die dem Akt eigen sind mit der Variation der Form und Linie die sich ständig mit dem Licht ändern.

Es schien logisch (und vielleicht unvermeidlich) daß ich versuchen sollte beide Arten von Fotografie zusammenzubringen. Zu meiner Überraschung fand ich daß Aktfotografie in der Namib viel leichter war als im Studio. Das Zusammenspiel zwischen Thema und Hintergrund sorgte für ständige Inspiration wobei jede Aufnahme die nächste veranlaßte.

Manchmal benutzte ich das Modell als Hauptthema, nahe an der Kamera, und oft benutzte ich ein Weitwinkelobjektiv um den Eindruck von Nähe zu betonen. Bei manchen Aufnahmen war das Modell so nahe an der Linse daß Teile des Körpers "amputiert" werden mußten – eine Methode die meiner Meinung nach gerechtfertigt war um die Form abstrakter oder organischer wiederzugeben (im Sinne daß es ein wesentlicher Teil der Wüste ist).

In manchen Aufnahmen habe ich versucht zu zeigen wie die Formen und Textur des Modelles in den Dünen wiedergegeben wird. In anderen Aufnahmen schien es mehr angemessen den Kontrast zwischen Haut, Sand und Rinde zu betonen.

Bei anderen Gelegenheiten stellte ich das Modell so weit weg, als Reaktion auf diese Größe und den Raum der Wüste, daß es ein winziger Fleck in der riesigen Landschaft wurde. Bei einer oder zwei von den kleinen Aufnahmen würde man vielleicht ein Vergrößerungsglas nötig haben um das Modell zu finden! Allerdings enthält nicht jede Aufnahme einen Akt. Manche Aufnahmen wurden eingeschloßen um die allgemeine Gegend zu zeigen in der die Hauptaufnahmen gemacht worden sind, oder um einen Kontrapunkt einzubringen der sich bezieht auf irgendeinen Aspekt der größeren Aufnahme auf der Seite daneben. (Die Bildunterschriften im Buch haben Beziehung auf die Hauptaufnahmen die auf den rechten Seiten erscheinen, mit Ausnahme von Bildunterschriften bei denen es anders angedeutet ist).

Unter dem Gesichtspunkt der Komposition war es mir möglich viele Probleme zu lösen indem ich das Modell als eine Art von tragbaren Baum benutzte und das Modell dort hinstellte wo ein Interessenpunkt benötigt wurde. Es war eine bedeute Verbesserung über die echten Bäume die an ungeeigneten Stellen stehen und nicht die Ansprüche des Fotografen beachten.

Minoltas wurden für alle Aufnahmen in diesem Buch benutzt. Ich machte die Aufnahmen meistens mit zwei Minolta 9000 mit automatischer Einstellung, und die Linsen reichten von einem 20 mm Weitwinkelobjektiv bis zu einem 300 mm Teleobjektiv. Ich benutzte gelegentlich mein Pentax 135–600 mm Zoomobjektiv ("Big Bertha") mit einem Minoltaträger und Minolta XD-7-Gehäuse. Ein Polarisierer war der einzigste Filter der benutzt wurde um den Ton des Himmels zu intensivieren. Die Kamera wurde für die meisten Aufnahmen an ein relativ schweres Stativ befestigt (siehe die Aufnahme auf der vorderen Innenseite des Umschlages). Film? 35 mm Fujichrome 100.

Mein Verhältnis mit der Namibwüste dauert bereits viele Jahre und über tausende Kilometer – der Abstand von meiner Wohnung in Sandton zu den Dünen von Sossusvlei ist ungefähr 1 800 km. Jede Reise dorthin wurde geplant um mindestens eine Woche lang zu dauern (zehn Tage wann auch immer möglich) um solches reisen zu rechtfertigen.

Ich möchte die Modelle die mich begleiteten bedanken. Sie waren nicht nur schön und sehr professionell, aber auch angenehme Gesellschaft, fleißig und sie hatten gutes Verständnis für was mit jeder Aufnahme versucht wurde.

Es hat viel Spaß gemacht dieses Buch zusammenzustellen. Ich hoffe das Buch macht so viel Spaß zu lesen wie es uns gemacht hat es zusammenzustellen.

COLIN MEAD
März 1990

Naked Wilderness

Unverhüllte Wildnis

A race against the clock. That delicate sliver of light was visibly shrinking as the sun dropped towards the horizon. The model sprinted around the dune and came up the far side (to avoid the possibility of any footprints in the foreground — standard procedure in desert photography). Exposure was difficult. I took a reading from a well-lit dune (out of the picture) and locked the settings in before composing the photograph. We made it — just! That single line of light is important in providing a base for the model, who would otherwise seem to be floating in a black void.

Ein Rennen gegen die Uhr. Der feine Lichtsplitter wurde sichtbar kleiner als die Sonne am Horizont sank. Das Modell rannte um die Düne und kam von der anderen Seite herauf; dadurch wurde die Möglichkeit von Fußabdrucken im Vordergrund vermieden — eine gebräuchliche Maßnahme bei Wüstenfotografie. Die Belichtung war schwierig. Ich machte eine Messung bei einer Düne die gut belichtet war (sie ist nicht in der Aufnahme zu sehen), und schloß die Einstellung ein bevor die Aufnahme zusammengestellt wurde. Wir haben es gerade noch geschafft! Der einzelne Lichtstreifen ist von Bedeutung für die Schaffung einer Basis für das Modell, das sonst in einer schwarzen Leere zu schweben erscheinen würde.

1

Here's a classical S-curve to keep traditionalists happy. However, I felt that I was justified in breaking the traditional rules by having the model face out of the picture, to her left. Why? As is so often the case, it just looked right in the viewfinder. A polarising filter was used to bring out detail in the rather sparse clouds.

Hier ist eine klassische S-Kurve um die Traditionalisten zufriedenzustellen. Ich war allerdings der Meinung daß es gerechtfertigt war nicht die traditionellen Regeln einzuhalten und ließ das Modell nach links aus der Aufnahme blicken. Warum? Es sah ganz einfach richtig aus im Sucher, wie es oft der Fall ist. Ein Polarisierungsfilter wurde benutzt um Details hervorzuheben aus den Wolken die etwas dünn sind.

2

The model was very nearly a kilometre away and I had to shout my instructions to her. By good fortune the shadow of a passing cloud darkened the background, emphasising the contours of the windswept dune in front of it. The lens was my 135~600 mm Pentax zoom (the "Big Bertha" referred to in the Introduction), set at a focal length of about 400 mm.

Das Modell war fast einen Kilometer entfernt, und ich mußte ihr die Anweisungen laut zurufen. Glücklicherweise verdunkelte der Schatten einer vorüberziehenden Wolke den Hintergrund und betonte dadurch die Konturen der Dünen im Vordergrund über die der Wind fegt. Die Linse die benutzt wurde ist ein 135~600 mm Pentax Zoomobjektiv ("Big Bertha" die in der Einleitung erwähnt wurde) das auf einer Brennweite von ungefähr 400 mm eingestellt wurde.

3

When the light is right, I prefer to stay in a particular area and explore its full pictorial potential — rather than dashing about from spot to spot, wasting precious time as the sun moves the shadows across the landscape. In this sense, many of the pictures in this volume (as well as in my previous book *Shadows of Sand*) are photographs of more than just dunes and shadows: they are photographs of time.

Wenn das Licht gut ist, ziehe ich es vor in einem bestimmten Gebiet zu bleiben und das volle bildliche Potenzial zu untersuchen, anstatt hin und wieder loszustürzen und wertvolle Zeit zu verschwenden während die Sonne die Schatten über die Landschaft bewegt. Viele Aufnahmen in diesem Band, sowie die in meinem vorigen Buch, "Shadows of Sand", sind in diesem Sinne mehr als nur Aufnahmen von Dünen und Schatten: Es sind Aufnahmen der Zeit.

Variations on a theme. The small picture (below) was used as the cover for *Shadows of Sand*. These photographs were shot from the main (and only) road that runs between Sesriem camp and Sossusvlei. I used a long lens to flatten the perspective and bring near and far objects closer together. Viewpoint for this kind of shot is all-important: a relatively small move to left or right can drastically alter the composition. By moving myself to the left I was able to offset the tree to the right (and out of the picture) and position the model in the gap.

Variationen eines Themas. Die kleine Aufnahme (unten) bildete den Umschlag von "Shadows of Sand". Diese Aufnahmen wurden von der Hauptstraße (und die einzigste Straße) zwischen dem Sesriemlager und Sossusvlei gemacht. Ich benutzte eine lange Linse um die Perspektive zu ebnen und die weiten und nahen Objekte näher aneinanderzubringen. Die Ansicht ist sehr wichtig für diese Art von Aufnahme: Eine relativ kleine Bewegung nach links oder rechts kann die Komposition drastisch ändern. Es war durch meine Bewegung nach links möglich den Baum nach rechts (und aus dem Bild) zu versetzen, und das Modell in die Öffnung hinzustellen.

First-timers to the Namib dunes are occasionally disappointed to find that the dunes look less dramatic than they expected. That's because they don't get up early enough! This is a morning shot, with clear sidelighting on the model and softly slanted shadows to bring out the rich sandy texture.

Besucher die zum ersten Mal die Namibdünen besuchen sind manchmal enttäuscht weil die Dünen weniger dramatisch aussehen als was sie erwarteten. Das ist so weil sie nicht früh genug aufstehen! Diese Aufnahme ist am Morgen gemacht worden, mit klarer Seitenbelichtung auf dem Modell und Schatten die leicht geneigt sind um die reiche, sandige Textur herauszubringen.

6

The "portable tree" in practice (see Introduction) — using the model as a focal point in an otherwise bland composition.

Der "tragbare Baum" in der Praxis (siehe Einleitung). Das Modell wird als ein Brennpunkt benutzt in einer Komposition die sonst ausdruckslos ist.

These photographs were taken at the base of the main dune (near to where 4-wheel-drive territory begins). The dune towers almost half a kilometre into the sky (notice the Gemsbok tracks centre right). For another view of this impressive sand castle (ranked among the world's tallest) see the main photograph on page 20.

Diese Aufnahmen wurden am Fuß der Hauptdüne gemacht (in der Nähe wo das Gebiet für Vierradantrieb anfängt). Die Dünen ragen fast einen halben Kilometer weit in den Himmel. In der Mitte rechts sind Gemsbokspuren zu sehen. Siehe die Hauptaufnahme auf Seite 20 für eine andere Ansicht von dieser eindrucksvollen Sandburg - sie gilt als eine der höchsten in der Welt.

In this composition of interlocking triangles, the two tiny camel-thorn trees (Acacia Erioloba) form an important "stop" — preventing the shapes from visually running out of the left side of the frame. Once again, a polariser has been used to darken the sky (which would otherwise have been distractingly bright).

In dieser Komposition von ineinandersteckenden Dreiecken formen zwei kleine Kameldornbäume (Acacia Erioloba) einen wichtigen "stop" indem sie verhindern daß die Formen visuell an der linken Seite des Bildes verschwinden. Ein Polarisierer wurde wiederum benutzt um den Himmel zu verdunkeln, da er sonst ablenkend hell wäre.

9

**Taken at Elim Dune,
near Sesriem camp on
the edge of the desert,
looking eastwards to
the mountains a few
minutes before sunset.
I love the golden grass.**

Diese Aufnahme wurde bei
der Elimdüne in der Nähe des
Sesriemlagers, am Rande der
Wüste, gemacht. Die Ansicht
war östlich in der Richtung der
Berge, ein paar Minuten vor
Sonnenuntergang. Ich halte
sehr von dem goldenen Gras.

10

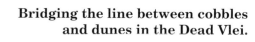

Bridging the line between cobbles and dunes in the Dead Vlei.

Die Linie zwischen den Steinen und den Dünen in der Dead Vlei wird überbrückt.

11

Early morning light (very early!) brings out the rippled texture of the sand. You need to move fast... within half an hour the ripple will become a lot less dramatic as the sun rises higher above the horizon. I feel that the best light occurs within about two hours of daybreak or sunset. For the rest of the day I prefer to doze in the shade of a camel-thorn tree.

Das Licht am frühen Morgen (sehr früh) bringt die gewogene Textur des Sandes heraus. Man muß sich beeilen ... binnen einer halben Stunde sind die Wogen viel weniger dramatisch wenn die Sonne höher am Horizont steigt. Ich meine daß das beste Licht zwischen ungefähr zwei Stunden nach Tagesanbruch oder vor Sonnenuntergang zu finden ist. Den Rest des Tages döse ich am liebsten im Schatten eines Kameldornbaumes!

12

Back-lighting (with the sun on the far side of the model) has its own special magic — rim-lighting the figure and emphasising the shadows of the ridged sand.

Rückbelichtung (mit der Sonne auf der anderen Seite vom Modell) hat einen besonderen Zauber: Der Rand der Figur wird belichtet, und die Schatten des zerfurchten Sandes werden betont.

13

Undulating contours of the dune (echoed in the subtle curves of the model) cause the rippled shadows to modulate from bottom to top of this vertical composition — almost creating a positive/negative effect.

Die schlängelnden Konturen der Düne, die in den feinen Kurven des Modelles wiedergegeben werden, verursachen daß die gewogenen Schatten von unten bis oben in dieser vertikalen Komposition moduliert werden und dadurch fast einen Positiv/Negativeffekt schaffen.

14

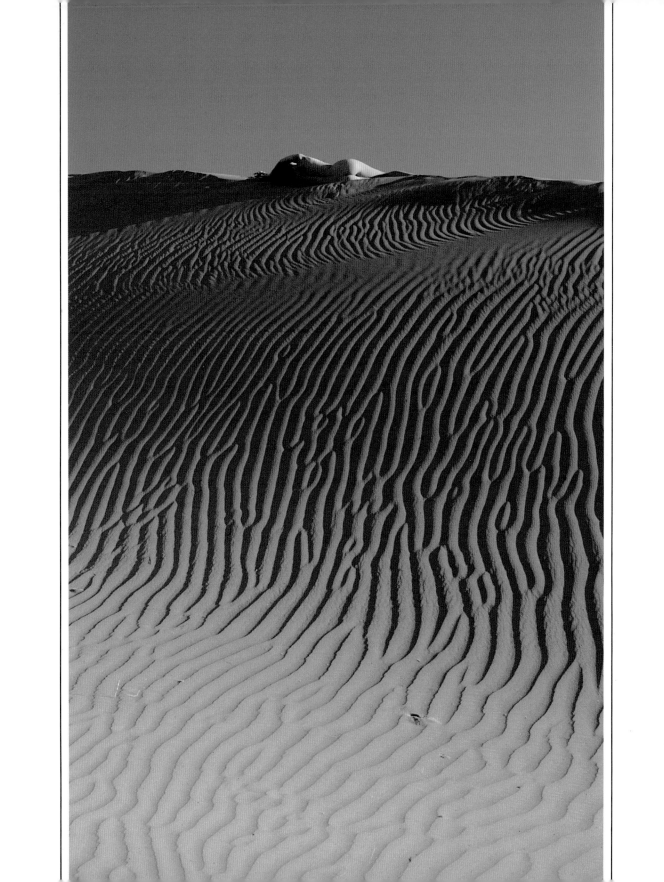

Sossusvlei. A rear-view mirror can sometimes be as valuable in the desert as it is on the road!

Sossusvlei. Ein Rückspiegel kann manchmal in der Wüste genauso nützlich sein wie auf der Straße!

15

Golden afternoon sunlight has turned this photograph into an almost monochromatic image. Strong sidelighting simultaneously brings out the rough texture of the bark and the smooth contours of the model's figure.

Goldenes Nachmittagssonnenlicht hat diese Aufnahme ein fast monochromatisches Bild gemacht. Starke Seitenbelichtung bringt gleichzeitig die unebene Textur der Rinde und die glatten Konturen der Figur des Modelles heraus.

17

In the Kokerboom forest just outside Keetmanshoop. "Kokerboom" is an Afrikaans word for "quiver-tree" and refers to the Bushmen's custom of using parts of the tree as a container for their poisoned arrows. The Mexican hat is totally out of context, of course — but it looked good, so I took the pictures!

Im Kokerboomwald in der Nähe von Keetmanshoop. "Kokerboom" ist Afrikaans und bezieht sich auf den Gebrauch der Buschmänner Teile des Baumes als Behälter für ihre vergifteten Pfeile zu gebrauchen. Der mexikanische Hut ist natürlich ganz aus dem Zusammenhang gerissen, aber es sah gut aus, darum machte ich die Aufnahmen!

18

The Kokerboom has an intriguing bark — smooth and textured at the same time. Here, tree and model blend, each an extension of the other, in a celebration of the oneness of creation.

Der Kokerboom hat eine interessante Rinde - gleichzeitig glatt und textuiert. In dieser Aufnahme verschmelzen Baum und Modell ineinander; beide sind gegenseitige Verlängerungen voneinander, in einer Verherrlichung des Einklanges der Kreation.

19

Early morning, near the main dune at Sossusvlei. I used elbows as a tripod, and a wide-angle lens to emphasis the sense of distance. The grotesquely-gnarled tree is a much photographed subject in this part of the world — though seldom seen in the company of a nude.

Am frühen Morgen, in der Nähe von der Hauptdüne bei Sossusvlei. Ich benutzte die Ellbogen als Stativ und ein Weitwinkelobjektiv um den Eindruck von Abstand zu betonen. Der grotesk-knorrige Baum ist ein vielfotografiertes Thema dieser Gegend, obwohl es selten einen Akt einschließt.

20

That Mexican hat again! There was a strong westerly wind that evening and I had visions of the model soaring off into that tranquil blue polarised sky.

Wieder der mexikanische Hut! An dem Abend wehte ein starker Wind aus dem Westen, und ich stellte mir vor wie das Modell zum ruhigen, blauen, polarisierten Himmel stieg.

21

Elim is one of the smaller dunes near Sesriem camp, on the edge of the desert. At the end of a hard day's shooting, the model was glad to rest while I posed her and her guitar in the fading light. I was captivated by the similarities in the shape of and colour of the model and the musical instrument. The smaller photograph below?..well, it's one of my favourites and this seemed as good a place as any to put it.

Elim ist eine der kleineren Dünen in der Nähe des Sesriemlagers, am Rand der Wüste. Am Ende des Tages, nach der harten Arbeit, war das Modell froh auszuruhen während ich sie und ihre Gitarre im schwindenden Licht posierte. Ich fand die Ähnlichkeiten in der Form und Farbe des Modelles und dem Musikinstrument faszinierend. Die kleinere Aufnahme unten ... eine meiner Lieblingsaufnahmen, und hier scheint sie gut zu passen.

Strong shadows dominate these late afternoon shots, which have an undeniably African feel.

Starke Schatten dominieren diese Aufnahmen die am späten Nachmittag gemacht wurden und einen zweifellos afrikanischen Charakter haben.

The intention here was to integrate the model into the tree forms, so that the disembodied arms and legs become root-like. The unattached branches have an almost calligraphic line.

Hier war es die Absicht das Modell mit den Baumformen zu integrieren damit die körperlosen Arme und Beine wurzelartig wurden. Die unbefestigten Äste haben eine fast kalligraphische Linie.

24

My favourite place in the Namib and well worth the hour's hike in pre-dawn darkness. This is the Dead Vlei . . . a sun-baked natural arena, completely ringed by majestic sand dunes. Dead trees claw at the sky and the silence is shattering, the mood indescribable even with a camera.

Das ist mein Lieblingsort in der Namib, und es ist die Mühe wert eine Stunde lang in der Dunkelheit vor Tagesanbruch dahin zu wandern. Es ist die Dead Vlei, eine ausgedörrte natürliche Arena, ganz umringt von majestätischen Sanddünen. Abgestorbene Bäume krallen nach den Himmel, und die Stille ist erschütternd, die Stimmung ist selbst nicht mit einer Kamera zu beschreiben.

25

**Sand . . . silence . . . space,
and a sense of unity with the primeval earth.**

*Sand ... Stille ... die Weite,
und ein Gefühl der Einheit mit der urzeitlichen Erde.*

In this series of photographs, the model is totally integrated into the tree shapes. From a compositional point of view, the small trees at left provide an essential foil to the major shapes on the right. The camera was on a tripod (as in most of the pictures in this book) to ensure sharpness and also to permit the use of a small lens opening for maximum depth-of-field.

In dieser Serie von Aufnahmen ist das Modell total integriert in den Baumformen. Aus einem kompositionellen Gesichtspunkt bilden die kleinen Bäume links einen notwendigen Gegensatz zu den großen Formen rechts. Die Kamera war auf einem Stativ (wie bei den meisten Aufnahmen in diesem Buch) um die Schärfe zu versichern, und auch um eine kleine Linsenöffnung gebrauchen zu können für maximale Tiefenschärfe.

More Dead Vlei photographs. In a picture-rich situation like this, I always make a point of exploring the pictorial potential from every possible angle. It is particularly important to remember not to shoot everything from eye level.

Weitere Aufnahmen von der Dead Vlei. In einer bildreichen Situation wie diese, untersuche ich immer das bildliche Potenzial aus jeden möglichen Winkel. Es ist besonders wichtig sich zu merken nicht alles in Augenhöhe aufzunehmen.

28

A model's life can be hard . . . particularly in the desert. It is all too easy for the photographer to become engrossed in questions of mood, angle, lighting etc. and to forget such mundane matters as sunburn, blisteringly hot sand, flies, beetles . . . splinters!

Ein Modell hat ein schweres Dasein ... besonders in der Wüste. Es kann sehr leicht geschehen daß der Fotograf sich vertieft in Fragen über Stimmung, Winkel, Belichtung, usw., und dann irdische Sachen wie Sonnenbrand, glühend heißer Sand, Fliegen, Käfer ... und Splitter vergißt.

29

The dynamic use of a diagonal line gives a compelling sense of movement in a subject which is almost completely static! Notice also the simultaneous use of contrast and repetition, as smooth skin is set against rough bark, while the sinuous flow of the model's body finds an echo in the swirling lines of the tree trunk.

Die dynamische Anwendung einer diagonalen Linie verschafft ein Gefühl der Bewegung in einem Thema das fast ganz statisch ist! Es fällt auch die gleichzeitige Anwendung von Kontrast und Wiederholung auf, wo glatte Haut gegenüber grobe Rinde gestellt ist, während die gewundene, fließende Form des Körpers des Modelles eine Wiedergabe findet in den wirbelnden Linien des Baumstammes.

30

A rocky outcrop near Keetmanshoop. Once again, the model stoically posed on the very hard and uncomfortable ground in an effort to follow my directions to "become part of the landscape".

Eine steinige Felsnase in der Nähe von Keetmanshoop. Das Modell posiert wieder stoisch auf dem sehr harten und unbequemen Boden um meine Anweisungen daß sie Teil der Landschaft werden sollte, zu folgen.

31

White calcrete cobbles (calcium carbonate) lend patterned interest to these shots taken in one corner of the Dead Vlei.

Weiße Kalkretsteine (Kalziumkarbonat) verleihen diesen Aufnahmen, die in einer Ecke der Dead Vlei gemacht worden sind, gemustertes Interesse.

32

These shots were taken without a tripod, simply because it wouldn't go low enough. Instead, I lay on my stomach and propped myself up with my elbows. I used a wide-angle lens to emphasise the sense of space.

Diese Aufnahmen wurden ohne Stativ gemacht, weil es nicht niedrig genug gestellt werden konnte. Statt dessen legte ich mich auf dem Bauch und stützte mich auf den Ellbogen. Ein Weitwinkelobjektiv wurde benutzt um den Eindruck von Weite zu betonen.

33

Repeated curves find an echo in the rounded shapes of the cobbles, and low-angled side lighting emphasises the textures, while the diagonal placement adds a dynamic element.

Wiederholte Kurven werden wiedergegeben in den gerundeten Formen der Steine, und die Texturen werden betont durch die Seitenbelichtung aus einem niedrigen Winkel, während diagonale Plazierung ein dynamisches Element dazu beiträgt.

34

This photograph really works for me — although I find it difficult to say why. As far as composition is concerned, the finger of light at the top (where slanting sunlight has picked out the top of a dune) adds necessary balance to a picture which would otherwise be bottom-heavy.

Diese Aufnahme gefällt mir sehr, obwohl es mir schwer fällt zu sagen warum. Was die Komposition betrifft, trägt der Lichtspalt oben (wo das geneigte Sonnenlicht die Spitze einer Düne heraushebt) die benötigte Ausgewogenheit bei in einer Aufnahme die sonst unten zu schwer gewesen wäre.

35

Obviously, I saw the dune shape first and then posed the model to match. Nevertheless the similarity in form between the animate and the inanimate subjects is striking, in this vigorous zigzag composition.

Selbstverständlich sah ich zuerst die Dünenform und posierte das Modell damit es dazu paßte. Die Ähnlichkeit der Form der lebenden und unbelebten Gegenstände ist dennoch auffallend in dieser Komposition die ein kräftiges Zickzack ist.

I used my 28 mm wide-angle lens to exaggerate the size of the model's body against the distant dunes, and to place emphasis on the repeating shapes. A low viewpoint eliminated much of the visually uninteresting middleground.

Ich benutzte mein 28 mm Weitwinkelobjektiv um die Größe des Körpers des Modelles zu übertreiben gegenüber den fernen Dünen, und um die wiederholten Formen zu betonen. Ein niedriger Standpunkt schloß viel von den visuell uninteressanten Mittelgrund aus.

37

Kolmanskop (Kolmannskuppe), a ghost town just outside Lüderitz, is almost like a movie set — Namibia's Klondike. It was not intended to be a makeshift town . . . Kolmanskop in its heyday (early in this century) boasted a casino, hospital, bowling alley, and theatre. Today the houses are still impressive in their faded elegance, but Kolmanskop is very much a ghost town as the dunes creep through broken windows and the sun filters past the slats of ruined roofs.

Kolmanskop (Kolmannskuppè), eine verlassene Stadt in der Nähe von Lüderitz, ist fast wie ein Szenenaufbau für Filme - es ist Namibias Klondike. Es war nicht die Absicht eine improvisierte Stadt zu bauen ... Kolmanskop hatte in seiner Blütezeit, zu Beginn des Jahrhunderts, ein Kasino, Krankenhaus, eine Kegelbahn und ein Theater. Die Häuser sind jetzt immer noch eindrucksvoll in ihrer verblichenen Eleganz, aber Kolmanskop ist eine verlassene Stadt in der die Dünen durch zerbrochene Scheiben kriechen, und die Sonne durch die Öffnungen der zerfallenden Dächer scheint.

During the boom years Kolmanskop had its own opera hall, in which singers from Europe occasionally performed. There was also (as could be expected) an adequate supply of saloon bars. The boom ended with World War I, when the diggings came to a halt. In the post-war years larger diamond deposits were discovered further south, and that fact, coupled with a fall in the diamond price, spelt the death-knell for Kolmanskop. It's been a long time a-dying — much to the gratification of scores of tourists and photographers!

Während Kolmanskops Blütezeit hatte die Stadt ein eigenes Opernhaus in dem europäische Sänger manchmal auftraten. Es gab auch, wie man erwarten könnte, genug Lokale. Die Blütezeit endete am 1. Weltkrieg als die Bergwerke geschlossen wurden. In den Nachkriegsjahren wurden größere Diamantenablagerungen im Süden entdeckt und, zusammen mit einem Verfall des Diamantenpreises, sorgte für Kolmanskops Ende. Kolmanskop stirbt schon seit langem - zur Freude vieler Touristen und Fotografen!

This double-storey house (main picture) dates back to 1909. It is still possible to go upstairs . . . with caution.

Dieses Haus mit zwei Stockwerken (Hauptaufnahmen) geht auf 1909 zurück. Es ist immer noch möglich nach oben zu gehen ... mit Vorsicht.

I don't know how the bath got onto the raised stoep . . . but, as a photographer I'm glad it was there!

Ich weiß nicht wie die Badewanne auf der angehobenen Veranda kam, aber als Fotograf bin ich froh darüber!

41

This photograph doesn't need a lot of explaining — it was quite straightforward from the point of view of exposure and composition. The model has been placed (quite deliberately) on the "Intersection of Thirds" and there is a subtle contrast between straight lines and curves. A wide-angle lens was responsible for the steep perspective.

Diese Aufnahme benötigt nicht viel Erklärung - es war ganz einfach was Belichtung und Komposition betrifft. Das Modell wurde (mit Absicht) auf der "Kreuzung von Dritteln" plaziert, und es gibt einen feinen Kontrast zwischen geraden Linien und Kurven. Ein Weitwinkelobjektiv verursachte die steile Perspektive.

42

Exposure was tricky for this photograph. I had to ignore what the meter indicated, as it was fooled by the large dark area behind the girl. Instead, I took a reading off the brown wall to my right and locked it in while re-composing the shot. If I had not done that, the meter would have tried to lighten the dark interior and the girl would have been overexposed (if you'll pardon the expression).

Die Belichtung für diese Aufnahme war schwierig. Ich mußte die Anzeigen des Messers ignorieren, da der Messer durch das große dunkle Gebiet hinter dem Modell getäuscht wurde. Statt dessen machte ich eine Ablesung von der braunen Mauer an der rechten Seite und schloß es ein während die Aufnahme wieder komponiert wurde. Hätte ich das nicht getan, hätte der Messer die dunkle Innenseite heller gemacht, und das Modell wäre überbelichtet geworden.

43

This is the interior of the house shown on page 41. The roof has been blown away and the plaster has fallen from the timbered ceiling. As a result sunlight filters through in a striped pattern, slanting across the sand-covered floor and walls.

Dieses ist die Innenseite des Hauses das auf Seite 41 erscheint. Das Dach wurde abgeweht, und der Verputz ist von der hölzernen Decke abgefallen. Sonnenlicht filtert durch diese Öffnungen, in einem gestreiften Muster, schräg über den sandbedeckten Boden und die Wänder.

44

The model's body follows the line of the striped shadows, creating a composition of alternating light and dark diagonals. This is one of the few times when the overhead sun at noon gives the best results.

Der Körper des Modelles folgt die Linie der gestreiften Schatten, und schöpft eine Komposition mit wechselnden hellen und dunkeln Diagonalen. Das war einer von den seltenen Fällen wo die obenstehende Mittagssonne um 12 Uhr die besten Resultate gibt.

45

The encroaching sand has reached almost halfway up the wall (main photo) which still bears traces of the original wallpaper — a strangely geometric design of stylized flowers. Although the striped light is fascinating to look at, photographs taken here tend to look rather similar unless they are composed with a strong centre of interest.

Der vordringende Sand ist fast bis zur Hälfte der Wand gelangt (Hauptaufnahme), die immer noch Spuren der originalen Tapeten zeigt - ein fremdartig geometrischer Entwurf mit stilisierten Blumen. Obwohl es faszinierend ist sich das gestreifte Licht anzusehen, sehen Aufnahmen die hier gemacht wurden eher ähnlich aus, außer wenn sie mit einer starken Interessantheitsbasis komponiert werden.

46

Bulls-eye composition, with the model right in the middle. Exposure is always difficult when shooting sun-lit subjects from inside a poorly lit room. The trick is to take a spot reading off a small part of the scene (in this case the subject herself) and to allow the other tone to fall into place.

Ein Schuß ins Schwarze. Eine Komposition bei der das Modell genau in der Mitte ist. Die Belichtung ist immer schwierig wenn sonnenbeschienende Themen aus einem schwachbelichteten Raum aufgenommen werden. Der Trick besteht darin eine Stichprobenmessung von einem kleinen Teil der Szene zu machen (in diesem Fall das Thema selbst) und die anderen Töne dabei anschließen zu lassen.

47

(Right)
Another "bulls-eye shot", taken in the casino/theatre complex — possibly the best preserved part of Kolmanskop.

(Below)
In the small picture the sand has piled almost all the way up the wall — in fact, we had to crawl through a gap at the top of the doorway before we could take the picture.

(Rechts)
Noch ein Schuß ins Schwarze, im Kasino/Theater aufgenommen, möglicherweise der besterhaltene Teil Kolmanskops.

(Unten)
In der kleinen Aufnahme reicht der Sand fast bis oben an die Mauer. Wir mußten durch eine Öffnung über der Tür kriechen bevor wir die Aufnahme machen konnten.

48

The casino, with the model framed inside the skeleton of a broken door (the same door, with its missing panel can be seen on the right of the main picture on page 48). Part of the appeal of this shot lies in the tension set up by the competing negative and positive shapes.

Das Kasino, mit dem Modell im Skelett einer kaputten Tür gerahmt. Es ist diesselbe Tür mit dem fehlenden Teil die rechts in der Hauptaufnahme auf Seite 48 zu sehen ist. Der Reiz dieser Aufnahme liegt zum Teil in der Spannung die verursacht wird von den konkurrierenden negativen und positiven Formen.

49

A dimly-lit staircase at the back of the theatre. The exposure time had to be long (seconds rather than fractions of a second), especially since I had to stop the lens down in order to obtain as much depth of field as possible.

Eine schwachbeleuchtete Treppe an der Rückseite des Theaters. Die Belichtungszeit mußte lang sein (Sekunden eher als Teile einer Sekunde), besonders weil ich die Linse abblenden mußte damit soviel Tiefenschärfe wie möglich erziehlt werden konnte.

50

These pictures (and the small shot on page 48) were taken in the same sand-filled house. In the main photograph, the model's head is hard up against the top of the door frame. Obviously, crawling is the main form of locomotion in this part of Kolmanskop.

Diese Aufnahmen, und die kleine Aufnahme auf Seite 48, wurden in demselben sandgefüllten Haus gemacht. In der Hauptaufnahme ist der Kopf des Modelles gegen die obere Seite des Türrahmen. Offensichtlich ist kriechen die beste Fortbewegungsform in diesem Teil Kolmanskops.

51

The Kokerboom Forest near Keetmanshoop, very late in the afternoon (see small photo, of which the main picture is a detail). Although backlit scenes like this can be difficult to expose correctly — and there is always the danger of lens flare — they richly reward the extra trouble involved. With a scene like this, where the lighting is sheer magic, the safest bet is to bracket exposures and shoot several pictures at varying camera settings. (The technically correct exposure does not always produce the most pictorially satisfying shot).

Der Kokerboomwald in der Nähe von Keetmanshoop, sehr spät am Nachmittag (siehe die kleine Aufnahme wovon die Hauptaufnahme ein Detail ist). Obwohl es sehr schwierig sein kann Szenen mit Rückbelichtung, wie diese, richtig zu belichten - und es besteht immer die Gefahr von Reflexlicht - wird die zusätzliche Mühe immer großzügig belohnt. Wo die Belichtung zauberhaft ist, wie in dieser Szene, ist es am sichersten die Belichtungen festzusetzen und ein paar Aufnahmen mit verschiedenen Kameraeinstellungen aufzunehmen. Die technisch richtige Belichtung liefert nicht immer die bildlich zufriedenstellendste Aufnahme.

The sun was actually in the picture area, but hidden behind the model — hence the elongated shadows pointing right at the camera. I lay flat on my stomach and used a 28 mm lens to heighten the drama of the lighting. Notice, too, how effective this type of lens can be in a vertical format.

Die Sonne war eigentlich im Bildbereich, aber hinter dem Modell verborgen, darum gibt es die verlängerten Schatten die zur Kamera zeigen. Ich lag flach auf dem Bauch und benutzte eine 28 mm Linse damit das Drama des Lichtes erhöht wurde. Es ist auffallend wie wirksam diese Art Linse sein kann in einem vertikalen Format.

53

The light had all but gone as we returned from Elim Dune. I was playing "Caravans" on my car cassette player. "Stop the car and turn up the music," she shouted. I did as I was told, grabbed my camera and shot a whole sequence as she danced spontaneously in the fading glow of the evening sky. One of the many occasions on which I was grateful for the model's creative input . . .

Das Licht war fast verschwunden als wir von der Elimdüne zurückkehrten. Ich spielte "Caravans" auf dem Kassettenspieler im Wagen. "Halt an und drehe die Musik auf", rief sie. Ich tat es, griff meine Kamera und nahm eine ganze Sequenz auf als sie spontan im schwächerwerdenden Licht des Abendhimmels tanzte. Eine von den vielen Gelegenheiten an denen ich dankbar war für den kreativen Input des Modelles ...

54

Once a month, the full moon rises against the afterglow of the setting sun. We caught the moment at a point near the border post between South Africa and Namibia.

Einmal im Monat steigt der Mond im Abendrot der sinkenden Sonne auf. Wir fingen den Moment auf an einer Stelle in der Nähe des Grenzpfosten zwischen Südafrika und Namibia.

55

There's an appropriate sense of farewell in this, the last photograph in the book. It was taken near the subterranean Tsauchab River, half an hour after sunset.

In dieser letzten Aufnahme des Buches gibt es ein zutreffendes Gefühl von Abschied. Die Aufnahme wurde in der Nähe vom unterirdischen Tsauchabfluß gemacht, eine halbe Stunde nach Sonnenuntergang.

56